阁苑仙境话生肖

摄影 潘明清

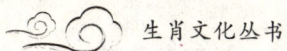 生肖文化丛书

生肖你我她

SHENGXIAO NI WO TA 　　张瀚文　罗修德　著

解读你的运程
解读我的团队
解读她的姻缘

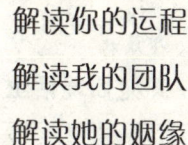

三秦出版社

图书在版编目（CIP）数据

阆苑仙境话生肖/张继军，罗修德著. —西安：三秦出版社，2009.9

（生肖文化丛书）

ISBN 978-7-80736-695-9

Ⅰ.阆... Ⅱ.①张... ②罗... Ⅲ.十二生肖-通俗读物 Ⅳ.K892.21-49

中国版本图书馆CIP数据核字（2009）第168388号

生肖文化丛书
生肖你我她——阆苑仙境话生肖

张继军 罗修德 著

出版发行	三秦出版社
	新华书店经销
社　　址	西安市北大街147号
发行电话	（029）87205121
垂询电话	（0817）6225777
邮政编码	710003
印　　刷	蓝田立新印务有限公司
开　　本	720×1000　1/32
印　　张	36
字　　数	66千字
版　　次	2009年12月第2版
	2011年10月第3次印刷
印　　数	12501-24900套
标准书号	ISBN 978-7-80736-695-9
单册定价	6.50元
全套定价	78.00元
网　　址	WWW.sqcbs.com

引　言

　　盛唐双奇袁天罡、李淳风晚年退隐于被称为人间仙境的四川阆中，常常一起谈风论水推测后世，并遗存有大量的天象和风水方面的书籍，尤以《推背图》久负盛名。这套小书是风水馆张瀚文馆长和罗修德风水大师根据这些遗存，经过多年的研究编写而成的。

　　阴历是世界上流传最久的历法。黄帝在位61年时，产生了一道十二官历法的首轮称为甲子，每一甲子为期60年，由5个分期构成，每个分期12年，我们称为五子运。每一年都以一个"动物符"作标记，我们称之为生肖。关于十二生肖源于何时及其排列，有各种传说，至今难以细考。这类故事，或似开心解闷的笑谈，或似贬恶扬善的寓言,文学成分较浓。

古代也有这样的传说,玉皇大帝99岁寿辰时,王母娘娘在阆苑仙境为他举行盛大的宴会,天上人间各路神仙纷纷前来贺寿,最先到来的动物神是老鼠,接着是牛、虎、兔、龙、蛇、马、羊、猴、鸡、狗、猪。玉皇大帝就按这些动物到来的先后顺序分别封以不同的年号,配以不同的时辰,作为对它们的赏赐。从此,"鼠咬天开"后的小老鼠就幸运地坐上了十二生肖的头把交椅,新一轮的五子运也从鼠年开始了。

代表生肖的动物符分别与自然界中的木、火、土、金、水五行相对应。五行又按磁场的正负极分为两极,即中国人所谓的阴和阳。

在阴历中,每天分为12更,每种动物符代表1更,昼始于子夜11时。阴历中的动物符对人的影响也是十分强烈的。属相中的12种动物分为阴阳两类。鼠、虎、龙、马、猴、狗属阳性，牛、兔、蛇、羊、鸡、猪属阴性。

12种动物属相除了其表示年的五行外，还有其固定的五行与季节对应。猪、鼠、牛为冬天，方位北方，季节色为蓝色，五行属水；虎、兔、龙为春天，方位东方，季节色为绿色，五行属木；蛇、马、羊为夏天，方位南方，季节色为红色，五行属火；猴、鸡、狗为秋天，方位西方，季节色为黄色，五行属金。

古代圣贤说，土生万物，因为它是金、木、水、火四行合一的象征，便不能与十二属相中任何动物相对应。有些算命人士指土为本行，从而以牛代水、龙代木、羊代火、狗代金。

在没有现代方法观测气象的时代，中国人便利用了阴历来预测雨雪到来的季节。时至今日，人们仍然相信阴历的真实可靠性。人们会发现，如果某年五行标志为水，那么这一年很可能会发生决堤或洪灾，这取决于阴阳两极哪个的影响力更强些。

你也许会对春季的第一天感兴趣，皇历中谈到，这一天鸡生的蛋能立起来，请你不妨试一试。如果有缘，你会见证的。阴历中春季到来的这一天称为"立春"，通常是阳历2月4日或5日。阴历节气是变化无常的，某些阴历年中也许会出现两次立春的情况，而某些阴历年根本不存在立春。中国的占卜者们称无立春之年为"盲年"，因为人们"看"不到春季的第一天。因此，在这样的年份里是忌讳娶亲的。

在这本小书中，你会发现、知晓深藏于你内心和他人内心深处的秘密。这样，你不仅会了解自己，而且还会知道你个人与事业的关系，知晓生活中会发生的事情。

同时这本小书能帮助你从另外一个角度观察自己，观察你宜与周围哪些人组成最好的朋友或团队，观察宜与哪个属相的人与你结合的婚姻是幸福美满的。它会使你理解主宰你的"狗"为什么会偶尔让你表现出急躁,属马的人易变、不安静特点的由来,以及为什么属龙的朋友会盛气凌人、花钱讲排场,还有蛇年出生的人为什么会有多疑的性格。你也许会吃惊地发现,有些工匠善于修理各种各样的东西,是因为他们出生于使他们聪明智慧的猴年。另外你还会看到那些动作迟缓、自信甚至保守的银行家们多是出生在充满自信的牛年。

也许这本书能让你进入理解命运和造化的神秘之门,甚至可以帮你作出重大决定。人生路上你会倾听蛇的机敏语言、寻求羊的温柔与同情心、获得猴的聪明智慧、共享马的快乐、欣赏兔的善交能力、用狗的忠诚交朋友、依靠虎的热情点燃生命之火、以鼠的勇于进取去完成伟业……

愿《生肖你我她》成为你为人处世的指南、美满婚姻的处方、幸福生活的源泉。

生肖五运	鼠	牛	虎	兔	龙	蛇	马	羊	猴	鸡	狗	猪
水运	甲子	乙丑	丙寅	丁卯	戊辰	己巳	庚午	辛未	壬申	癸酉	甲戌	乙亥
火运	丙子	丁丑	戊寅	己卯	庚辰	辛巳	壬午	癸未	甲申	乙酉	丙戌	丁亥
木运	戊子	己丑	庚寅	辛卯	壬辰	癸巳	甲午	乙未	丙申	丁酉	戊戌	己亥
金运	庚子	辛丑	壬寅	癸卯	甲辰	乙巳	丙午	丁未	戊申	己酉	庚戌	辛亥
土运	壬子	癸丑	甲寅	乙卯	丙辰	丁巳	戊午	己未	庚申	辛酉	壬戌	癸亥

目 录

午 马 …………………………………… 1

马 年 …………………………………… 3

属马人的性格 ………………………… 5

属马的儿童 …………………………… 11

属马人的起名 ………………………… 14

属马人的五种类型 …………………… 16

属马人与时辰的对应关系 …………… 22

属马人在其他生肖年中的运程 ……… 35

属马人生月趣解 ……………………… 48

属马人生日趣解 ……………………… 52

属马人的姻缘 ………………………… 59

吉祥四季 平安一生 ………………… 84

阆中风水博物馆 ……………………… 86

目 录

午 马

（圆明园十二生肖铜兽首）

马

胸中容有万千气象
异彩霞光随我变幻
看啊
我是一束闪动雷电
风驰电掣任我飞旋
我不就驾于世俗的索套
更不盲目为他人驱赶
我的精神永不屈服
我的灵魂永远自由
我是——马

马年
马到成功

对所有的人来说，马年是充满活力生气勃勃的一年。生活中充满繁忙景象，但时而也会出现冒险事件，人们感到随便、浪漫、自在是发展的大好时光，你会觉得轻快的脚步和欢腾的马步一样轻松而有力。

　　这将是决定付诸实施、高效率完成计划的有利时机。所有的事情都将有所发展，只是要注意自己，不要过分劳心。这一年将成为有创举的一年，也是令人疲乏的一年。

　　这一年里，兴奋和沮丧交替出现，人们蓄存的精力消耗大，使人筋疲力尽。同时也是开阔思路、实践那些在梦中期待过的事情的大好时光。要相信自己的感觉，用自己的直觉观察风向，把握住前进的方向。

　　马具有的冲动情感和很强的自信力支配着

我们的举动，拖拖拉拉的作风被你远远抛下。工业生产、世界经济将呈上升趋势，人们在外交及政治场合中会感到紧张，但幽默感同样很突出。

振奋你自己，飞腾的马加速了我们脉搏的跳动，使我们的日常生活变得紧张，充满压力感。马在奔腾中气质昂然但飘忽不定，而我们应始终保持实际的观点，既要大显身手，又要注意财力、物力所限。

总之，这一年是自由探索的一年，请保持勇敢无畏、呼啸前进的气势。

属马人的性格

生于马年的人性格开朗、思维敏捷、装扮入时、善于辞令、洞察力强。多变的性情会导致脾气急躁,产生暴跳如雷、怒火中烧的情况。属马的人会轻易陷入情网,也会轻易脱离情网。

各种情形表明,属马的人年轻时离家者居多,即便留在家中,他们的独立精神也总是促使他们从年轻时期就开创自己的事业。他们的精力充沛,但急躁鲁莽。他们最大的优点是自信心强,待人和气,有代理能力和理财能力。不墨守成规的属马人穿着入时、好显示,遇有活动或聚会时,一般挑选浅颜色、款式奇特、华丽又俗气的穿戴。

属马人爱好智力锻炼和体育活动,人们可以从他们灵巧的举动、优美的身姿和急遽的说

话速度上看到这一点。他们反应迅速,能当机立断。他们易动摇、少耐性的弱点常被灵活、开朗的性格所弥补。

马在地支排列次序中是喜好玩乐、贪图享受的花花公子和娇娇小姐的代名词。他喜欢凑热闹,对人慷慨,是个十足的乐天派。他做事灵活,如同他的爱情观一样机敏灵巧,总能支配身边的人。

马的弱点是:遇事急躁,性情固执,脾气火暴,但事过之后很快就忘记了。

他在物质方面不自私,而关心他人并把自己的观点渗透到他人心中,以求得团体内的团结一致,当然不能说是自私。他不持故意与人为敌的态度,只是不能容忍别人强加于他的观点。在别人与自己灵敏的思路、灵活的举止不协调时,便产生急不可待的情绪。这种人会成为一个好演员,却不适合做教师。

属马人很难适应别人制定的时间表,而且对遵守规程缺乏耐心。这类人能胜任那种有刺激性的工作。

他会想出许多有促进性的主意，找到解决问题的高招。属马人善于解决棘手的事情，所以，如果你身旁有一位属马的人做帮手，你可以将那些纷乱如麻的事情交给他处理。当他获得处理这些事情的自由权时，他会取得很大成绩。但切记时时加以督促，不要使他松懈。

马年出生的人做事图快，也相对缺乏持久性，更不能忍受长期的困苦，却能见风使舵、灵活善变。与人来往时，决不会像在龙年出生的人那样直接破门而入，而是提前送来名片，打电话商量，在你方便之时前来拜访。

他的思路曲折、迷离，总使人摸不透他在想什么。

出生马年的女士，富有生气、举止轻飘、打扮时髦、长相秀丽活泼、手指纤细、身材修长，可能是个网坛冠军或汽车司机，也许是个唠唠叨叨说个不停的女人。

属马的女士喜欢将所有的事料理得井井有条，她精力旺盛，如果有可能，她会同时出现

在十个地方。有时，人们评论她在与自己竞争，因为她周围的人谁也没有能力像她做事那么多那么快。

属马的女士外表像轻盈的肥皂泡，给人清新、明朗的感觉，而内心的活动也同身体一样敏捷。她们有的属于温柔型，有的也许是桀骜不驯难以驾驭的女子。但她们总能赢得人们的赞赏。家庭对她来说，只是社会活动中轻松的一部分，她决不肯长期固守一地。

她热爱脆弱的植物，喜欢户外景色与大自然的声音。她消遣的方式与众不同，大海翻卷的涛声、沙沙作响的大树、雄伟无际的山脉、美妙风景的森林，这一切都能唤起她遐想的激情。她一旦投身于大自然，无需他人启发，也不必别人帮助，她完全被内心的兴奋渴求所支配。如果你爱上了她，切记不要将她关在你的小天地里。

属马的男女都会很富有，然而他们的财产都不很保险，但他们也并不顾忌这点，所以很有可能会失去一部分财产。他们花钱大手大脚，爱开些捉弄人的玩笑，这是他们富于想象的性格的一点副产品而已，而且自己也不以此为过。他们爱显露头角，在无人拿主意的场合里，他们往往爱打头炮。

属马的人对爱情危机非常敏感，如果他一旦陷入魂不守舍的爱情中，会很容易地丧失自己的一切。他一生中有许多事情在完结时出现不愉快，也许一生中会经历婚姻裂变。

出生于马年夏季的人比冬季出生的要好些。人生阶梯中的最高点在中年，那时他会变得干练，能承担责任，很少受到束缚。

属马的人最好的伴侣是属虎、狗、羊的人。另外也可结成不错伴侣的还包括属龙、蛇、猴、兔、猪、鸡和另一个属马的人。

属马的人不喜欢属鼠的人，属鼠的人也不能理解属马人的多变性格。属马的人同性情倔强的属牛人交往也会发生冲突，属牛的性格坚毅，与暴躁的马不易融洽。

属马的儿童

出生于马年的孩子性情活泼、好动、喜怒无常，好学并易接受新鲜事物（许多出生马年的孩子是左撇子）。他们在强制性环境中往往表现抵触情绪，更喜欢照自己的想法和方式做事。他们也不属于撒娇、好哭的一类。这种类型的孩子好户外活动，若不给他们户外活动的自由，一味限制他们，反而会增加他们的逆反心理。

尽管他们总在邻居家转来转去，做些小恶作剧，但总能在饭前回到家里。让他随意些，他反而能遵守规矩。这类孩子的好奇心强，总是不断变换花样玩耍。

他们较早就能说话、走路。他们自信，对父母过严的管理不满，常对严格的规章制度及安排紧张的时间表表现抵触情绪。他们自己做事力求快速，是快活幸运的小精灵。

取名宜有"艹""金"字，知识渊博，安尊荣，享福终世；有"玉""木""禾"字，贵人明现，多才巧智，成功隆昌；有"虫""豆""米"字，福禄双收，名利永在；有"亻""月"字，英俊才人，智勇双全，清雅荣贵；有"土"字，义利分明，温和贤淑，克己助人，重义信用；有"田""火""氵"字，忧心劳神或性刚；有"车""石""力""酉""马"字，不利家庭或健康。

鼠牛虎兔龙蛇 **马** 羊猴鸡狗猪

属马人的五种类型

金马——1930年 1990年 2050年

时髦、逍遥、不驯服型。勇敢自信,又多愁善感,因而常受异性青睐。他能凭着自己敏感的直觉做事,并能取得成果。这种人稳定性差,很难让他长期守在一个地方。

出生在庚午年的人喜欢寻求不断的刺激来兴奋自己。他总会产生大胆想法,不会做墨守成规的行政人员。一旦他对自己的工作不满意、缺乏兴趣,或得不到恰当的奖励时,会变得消极并且缺乏责任感,他总是想办法脱离这项工作,或者不真心实意地做这些他认为是耽误时间的事情。

水马——1942 年　2002 年　2062 年

出生在这年的人，干净利落，做事敏捷，不宣扬自己的身份，不大注意场合的不同。且适应性强，判断准确，因此处世泰然自若，做事从不失时机。

这类人爱出游，比其他年份出生的属马人更好动，会成为旅行家或体育爱好者。

他们思想变化快，可以随时改变自己的计划。有时无须思考就做出与过去全然不同的事来。他的想法与举动常来自于瞬间灵感的引发，而不是周密的计划。

他们富有幽默感，有很强的吸引力，又穿着时髦，为人随和。

当事情不随心愿时，便采取敷衍态度，听之任之。

木马——1954年　2014年　2074年

甲午年出生的属马人，对人友好，有合作精神，但缺乏耐性。这类人自甘受人支配，但命运最好。由于与五行的木相配，使他们思想严谨，说话逻辑性强，愿意参与社会活动，不过分自傲，不与人相争。说话讨人喜欢，是很有吸引力的人。

因其开朗向上，并不多愁善感，因此，他很能在工作和处理事务时，易旧更新。

他喜欢对不同领域的事物进行探索，当然首先是对自己分内工作履行职责。这种情绪高昂、做事热情的属马人要注意的是分清是非，小心从事。

火马——1906年 1966年 2026年

这类属马人智力超群、性情暴烈,总以十足的个人意志或手段改变事情或强求别人接受自己的观点。这年是双火相逢的马年,可能是他们性情暴烈的原因所在。

他们易产生不耐烦的情绪,不易做重复性的工作。这种人聪明,有鉴别能力,但过多的聪明使他们变得容易激动。他的性格是多元的,要求活动内容多样化,愿意从事多种职业,喜欢周游,爱好各种活动。

在管理某项工作中,要求工作效率,很少接受他人的指导,有时连自己助手的意见也不能接受。

他在短时期里能应付多种事与人,善于解决棘手问题。

戊午年赋予这年出生的人足智多谋,办事灵活,且不保守。

土马——1918年 1978年 2038年

这部分属马人做事、说话讲究精确,爱与志趣相投者为友,行动比较缓慢,做事缺少当机立断的作风,总要将事情考虑再三才肯动手。

五行中的土是支配他们的主要因素,使他们说话有逻辑性,滴水不漏。他服从上级,也服从分配并安于所从事的工作。他的感觉敏锐,易发现问题,如可行的投资方案等,能使衰竭的生意复苏,对落后的事业有促进能力。

虽然他们属于"三思而后行"的人,但对小事又从不考虑,对其放任自流。有时也推诿一项能胜任的工作,却又可能接受他胜任不了的工作。

属马人与时辰的对应关系

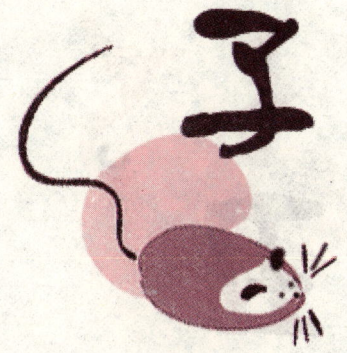

子时出生（鼠时辰）
——午夜 11 时至凌晨 1 时

令人愉快、
与人友好的马与性情温柔的鼠相对，
表示发财与存钱的吉兆。

丑时出生（牛时辰）
——凌晨1时至3时

举止潇洒又自相矛盾的马

在牛的吼叫声中消失了不安，

做事更扎实，

也不易陷入疯狂的恋爱中。

寅时出生(虎时辰)
——凌晨3时至5时

虎具威力,

马善摆脱困境,

是一种巧与力的恰当结合,

只是虎不要随在马后窥视。

卯时出生（兔时辰）
——早晨 5 时至 7 时

举止娴雅，

喜欢精美食物，

有挑食的习惯，

与不厌粗糙食物的兔正好协调。

辰时出生（龙时辰）
——早晨 7 时至 9 时

任意奔腾却有时停滞不前的马，
由龙的巨大威力所控制，
会产生对旁人估计过高的现象。

你我她

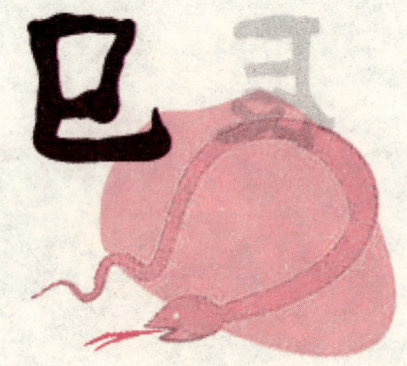

巳时出生（蛇时辰）
——上午9时至11时

蛇马相逢，
蛇如能将聪明分给马，
会使马行动稳健，
在蛇的谋划中增强获胜信念。

午时出生（马时辰）
——上午11时至下午1时

二马相遇，
优雅又活跃，
风度大方却不安定，
且自负任性。

未时出生（羊时辰）

——下午1时至3时

马失去了暴脾气，

举止带有了羊的温驯，

富有怜悯心，

但举止轻佻，

爱凑热闹。

申时出生（猴时辰）
——下午3时至5时

猴马均有快速、敏感、活泼、好动的特性，

经常显示自己。

说话圆滑，

不易被人牵着鼻子走。

酉时出生(鸡时辰)

——下午5时至7时

竞争意识强,

有执著性格的马,

得到处世态度乐观、

无所畏惧的鸡的补充,

便再不会为世间烦恼所缠绕。

戌时出生(狗时辰)
——晚7时至9时

狗马结合会产生实践性强、

思维敏捷、

忠实、

自信的性格特点，

同时又会发生毛手毛脚、

不耐烦、

易生气的缺点。

亥时出生（猪时辰）

——晚 9 时至 11 时

富有协作精神，
做事比较扎实的马同猪的憨直性格相混合，
更使其不易动摇。
但为人处世过于自傲。

属马人在其他生肖年中的运程

鼠 年

该年对马来说是个不利的年头,
困难不断出现,
还会遇到一些令人不快的荒诞事。
马必须不断抗争,
特别是依靠法律手段来解决问题。
家庭经济也会有拮据现象,
这年应倍加谨慎,采取保守态度,
切不可借出和借入钱财。

牛　年

这是属马人顺利的一年。
但他仍要努力工作去实现自己的目标。
少量棘手、意外的问题也许会再现，
但他可以吸取外在力量掌握住自己的命运。
这一年能存些钱。
问题的发生来自孩子或一些小事情。

虎　年

这一年属马的人有喜有忧。
不会有疾病缠身,
但会有大量额外开支。
因此,
这一年既是他学习、发展的一年,
也会由于发脾气导致与人断交。

兔 年

是属马人有利的一年,
特别对投资经营有利。
生活会一帆风顺,
会听到很多好消息,
家中也会添人口。
这一年可以保护他的冒险碰不到麻烦。
当然,
也有大量的报应。

龙　年

好坏相交的一年。
有许多棘手的事情和疾病发生，
　　将考验着属马人的耐力。
但也不必将事情想得那么糟糕，
　　风暴必定会过去，
灾难一定不像预卜的那么严重。
这段时间要多看生活的光明面。
　　与人为善，避免树敌。

蛇 年

是诸事缠身紧紧张张的一年。
这一年要消耗属马人大量的时间与精力。
各种困难多出自同事甚至朋友之处,
做事总有看不见的障碍。
但他将获得家庭的后援。
在这一年里他的事业不会有大的发展。

马 年

这是属马人繁荣的好年头。

清醒的头脑、

事业的主动性会给他带来快乐与满足。

这一年无须耗费很大精力就能实现自己的计划。

但这是容易染病的一年,

所以这一年里要避免探视病人,

不要在不需要出现的场合出入。

也不可同朋友、同事断交。

羊 年

对属马人来说是平稳的一年。
有出门旅行、
搬迁家舍的可能。
所遇的好事坏事大致均等,
不会遇到大问题。

猴　年

是个吉祥年。

有意想不到的发财机会和突如其来的收获。

能够顺利找到所寻的东西。

但应注意，

有时会发生小事故。

这一年家里也许会传来不幸的消息。

来自外人的麻烦不会影响到自己。

鸡 年

平淡的一年。

这一年他会收到家中的好消息。

在工作、

生活中会受到轻微的打扰,

这些小困难会影响他事业进展,

使他产生沮丧情绪。

狗　年

是于属马人专业有利的一年。

只要认真，

就会轻松通过考试，

或者找到自己寻求的工作。

他会引起某些重要人物的注意。

这一年也将暗示，

他的家庭也许会出现法律诉讼之事或是

家庭经济不景气。

猪 年

对属马人的事业是不利的一年。
他成功的可能往往被来自外界的影响所破坏，
疾病也会在这一年拖延他的计划。
他投资的项目会受到意外的阻碍。
他不得不去应付各类复杂的事情，
而且还会遇到麻烦。

属马人生月趣解

生于正月

是一个很幸运的人,坐享其成,不为生活问题发愁,为人品性端正,和蔼可亲,待人热情,甚得朋友信任。很多异性都喜爱,可惜浪费感情。

生于二月

运势颇强,不需辛劳就顺利地获得发展机会,社会条件对他的发展也很有利。为人侠义心肠,肯为别人着想,只是桃花运产生了不良影响,容易受捆扰。

生于三月

是可担当大任的成功人士,任何棘手问题经他手后便可迎刃而解,是外交及公关不可多得的人才。家庭很幸福,有妻子得助。

生于四月

胸怀坦荡,好动而外向,喜欢理论而不付诸行动。能为朋友解厄扶危自己即使困难也满不在乎,在朋友的眼中,认为是难以理解的人物。

生于五月

自尊心很强，但对别人也十分尊重，与人无争、与世无争，有逃避现实、避世之心，若在教育界做老师定能桃李满门。

生于六月

为人很热情，不论生熟一见如故，人缘极佳，性情乐观。一生良好，只是夫妻不够协调，常有口角之争，子女很孝顺。

生于七月

无凶无祸，聪明机智，处事彬彬有礼，待人真诚，心地善良，可惜得不到朋友好感。环境变动较大，生活很不稳定，结婚后会有环境改变之趋势。

生于八月

才能智力高尚，极富人情味，为别人着想，肯为朋友效力，解决困难，甚得人心。唯一缺点是处事不够耐心，一遇挫折锐气全失，难以抵挡，幸有家中和协快乐。

生于九月

文武皆备，一生衣食住行条件很好，外缘关系也好。可是会因酒色类事而造成困扰，会因此影响发展，甚至有破耗之虑。

生于十月

个性较为冷淡，不合群，在家的地位也不甚好，虽不很自私但亦不喜欢助人，凡事我行我素。运程一直很顺利，真是庸人福厚，不愁生活，夫妻很融洽。

生于十一月

这种人天生精力旺盛，想象力也很强，身体健康，大脑灵活，自制力也很强，若能入政界则成就很高。家庭观念反而淡薄。

生于十二月

性格沉默寡言，有点消极。对人生观的看法是充满悲观的，所以有出世之心，也有悲天悯人的同情心，若从事宗教或社会福利工作，当是成功人物。

属马人生日趣解

生于初一

应属上吉，为人忠厚，富有侠义，心软，同情心深。近官近贵，有权益之福，沉默寡言，能得四方财，中年当发之命。

生于初二

男女性情温良，为人诚实，出言无毒，品德高尚，六亲少靠，成功如登梯，贪争必败，心急无益，中年后有功成圆满之数。

生于初三

头脑聪明，宽宏大量，忍耐心较差，喜重情色，如不慎为色所累，会招致官灾。然则运不错，但婚姻欠佳。

生于初四

男女皆属先苦后甜之运，艰不安稳，少有财利，由第三运开始，始见运转兴旺，发展有成，逢贵人提拔，名利双收，声名远播。

生于初五

男士性急，易焦躁不安，积劳多现，需修心养性，如能平心静，婚后或能渐入佳境，衣食不缺；女士心善，持家贤能。长寿之命。

生于初六

男女聪明贤惠，有立身济世之才，足能名

扬四海,婚姻极佳,夫得好妻助力,妇招好夫持家,子女不缺。荣幸之命。

生于初七

头脑聪明,精力旺盛,处事有谋略,刚毅果断,产业能独立自营。独立为佳,合伙易树敌。

生于初八

头脑聪明,精力旺盛,有勇有谋,刚毅果断。产业上如能自营,中年后,运势昌盛、钱财丰盈、家和兴隆,富贵之人。

生于初九

先苦后甜,初限多劳,财利不旺,中年始得运开兴旺,大有发展,婚姻和善,子女不缺。有福之命。

生于初十

头脑灵活,精力充沛,善于随机应变。做生意独立为佳,事业易树敌,培养耐心,就会有成就;女士心肠好,邻居称道。

生于十一

心直口快,能说善辩,虚荣心强,如能埋头苦干,定能家成业就;女士性情泼辣、急躁,做事利落,管夫有能。是福多寿长之人。

生于十二

男女皆吉，青年不易，三步大运始见，平稳兴隆，为官忠正，家业吉佳。子女不孤，得力在女。福份之命。

生于十三

男士幼年多难多灾，青年运薄。虽有奇才，若遇知人善任之主，自力好强，终有成功。婚姻美满。

生于十四

命带欠吉。父母少力，六亲缘分初显暗淡，如生时不占吉运，即使年少得志，中年后也有不祥。破财小耗当有，否则，当有病难一场。

生于十五

男女皆有才能。有竞争心和意志，但命带和缓，自食其力，男借妻力，女借夫光，衣食不缺，家成业就，生日占吉，可获官位。

生于十六

才华出众，有天赋之才，读书可成，命带官星，循序渐进，有成功数。家业兴隆，名利双收。有子女及富贵荣达之命。

生于十七

命带吉运,只要善于利用自己的聪明才智,必获成就,有权有势,但命在六亲缘薄。多是孤身自力之命。

生于十八

男士性急,心直口快,做事有耐心,虽尽全力奋斗,成少败多,一生苦恼;女士口直心善,能言善辩,管夫厉害。持家有能之命。

生于十九

男女皆是善良人,好做善事,外得人缘,不小气慷慨大方,进一尺还一丈,有求必应。但命运初显平平,得财利于中年后。晚福之命。

生于二十

男士口硬心软,刀子嘴豆腐心,为人纯正,喜好交友,福不薄,娶有好妻;女士清秀,文体皆能。有招好夫之命。

生于二十一

头脑灵活,谋略高深,能说善讲,领导之才、大将之才,如不过份迷恋权势,能成大事业,女士多贤,福份之命。

生于二十二

命带官星，个性强、脾气暴，心胸狭窄，不喜欢听取众人意见，可能成大事业，一生无难。是个平稳之命。

生于二十三

男女命带吉运。利于商界发展，不宜从政。头脑聪明，财运宏达，命中富贵，家庭兴隆，娶贤妻，借助发达。一生福禄之命。

生于二十四

天赋聪明，喜欢博览群书，足能建功立业，名声显赫，荣耀门庭；女士灵秀，读书有连科学府，终能出人头地。

生于二十五

男女命在中平，先苦后甜，初显多难，坎坷时有，喜忧各半。六亲无靠，白手起家，生时若吉，晚年或许得福。平常之命。

生于二十六

男女皆吉，天生如有神助，享有祖先基业承拉父母之职业，有幸一生清闲，为人平和，受人敬重，妻贤子孝。是个福寿长之人。

生于二十七

男女皆吉，先苦后甜，三十过后走吉路，

有大发展，功成名就财力丰足。夫妻合美，家成业就，男的是享福寿高之人。

生于二十八

男女有聪敏的头脑，有才有智，命中带官，有权位，受人敬慕，福禄不薄。富贵之命。

生于二十九

男女命带发达之运，有学识、有才华，上进心强。但个性太强，不信任他人，难免与他人失和，终会起落多见，悔恨当初。

生于三十

男女皆上吉运，一生多喜少忧，婚姻如意，事业顺心，有财有运，家业兴隆。子孙多见，平稳度光阴。属于无忧无虑一生。

属马人的姻缘

古人认为，寰形相克图（下图）两端直接对应的属相是排斥的。

天　　　地

和　　　谐

马+鼠

无论在精神上还是肉体上,他都需要自由。她头脑清醒、勤奋,一往情深。她甘愿沉浸在小家庭的柔情中,他却坚持在一些未知的领域内不断求索。她机智,精力旺盛,而他喜欢冒险。性格不同使他认为她太专横,她认为他太自私,不体谅别人,占有欲太强。在仔细权衡之后,他们发现谁也没有足够的吸引力能使这场婚姻持续下去。

马+牛

前景并不美妙。对于有条理、讲规矩、虔诚的牛夫人来说,马丈夫反复无常、神经紧张,太外向。他常常轻易就激动起来,她却太冷静,无法调节他的情绪。他尊敬她,但不喜欢她的刻板和含蓄。而他的无忧无虑和变幻无常的心境使她感到无所依靠。他发现她没有幽默感,很难共事或者玩乐,而对她来说,则应该有个更有训练的、更负责任的丈夫。两人的共同点实在太少了。

马+虎

共性很多。他们因对生活生机勃勃、热烈欢乐的态度而结合在一起。他受她活泼的天性感染,她则被他丰富、生动、自信的举止所吸引,他们都是使人愉快、富于魅力的人,马丈夫会千方百计地挣钱,虎太太则竭力扮演好容光焕发的女主人形象。他们致力于同一个目标,再没有比这更成功的婚姻了。

马+兔

由于性格的差异而不太协调。他往往因她那超然、谨慎和无懈可击的态度而生气。如果他能打消她的疑虑，证明自己是个肯于奉献的、能挣钱养家的丈夫的话，她还是个深情、能鼓励人和有风度的女人。对于她或其他人对他抱有什么希望，马先生并不在乎，他只是随心所欲在朝自己喜欢的方向前进，他无疑会干得不错，但脆弱的兔太太却难以忍受这种反复无常和不安定。结果是双方都感到不满足和不幸福。

马+龙

还算合适。马多才多艺,足智多谋;而她对新奇、令人兴奋的建议总是乐于采纳的。如没有全神贯注的职业,龙太太就会将她那理想主义的观念和计划灌输给她那勇敢、冒险与她同样外向的丈夫。他很有洞察力,能在投机时判断成功的机会,而她的权力和说服力足以对付他的前后矛盾。他们都向往那种兴旺发达、动荡不安的生活,他们都不是家庭型的人,谁都不甘心守在家中。

马+蛇

他们的婚姻未必靠得住。两人都是才思敏捷的、现实的。但他有时心猿意马,渴求自由和变化,她对此颇为反感,因他的轻率和以自我为中心而愤愤不平。她很有决断力,且趣味高雅,不能适应他那强烈的嗜好。蛇太太认为马丈夫那些嗜好并无价值,如果两人结合,双方必须都是无私的。

马+马

可以结合,他们的生活、工作节奏是相同的。如果他们出生于不同的季节则更好,那样他们的生活会更富于变化。他们都热情奔放,但又独立不羁、永不知足。他们的智力、活力和冒险的天性可以使生活变得非常热闹,但这不能保证他们的婚姻能够维持下去,除非他们中的一个有本领控制住另一个。他们都厌烦日常的琐事,也受不了约束,所以他们很难为家庭建立稳固的基础。

马+羊

他乐观、实际,能把幽默感和意志力灌输给她。他能够轻松自如地与温柔的羊太太相处。羊太太敏感而善良,且富有同情心,只要他能让她高兴,能把被她夸大的难题三下两下地解决好,她就能容忍他的自私。他感谢羊太太为他安排的温暖愉快的家,并会发现她出于对他的关切已使生活方式完全适应了他的需要,他们能互相补充。这的确是非常美满幸福的一对。

马+猴

他们都有不凡的智力和适应能力,能够克服阻挡他们前进的各种困难。但他们太相似了,容易产生相互的不敬。譬如,他实际,是机会主义者,她也同样会见机行事;她多才多艺,机敏灵巧,他则同样的精明善变并会因此而激怒她。猴太太天性乐观,追求享乐,马先生自信多谋,能使别人服从于他。他俩很可能因互不相让而关系破裂。

马+鸡

不算和谐，但有时还是切实可行的。马先生聪明活泼，而鸡太太坦诚热情，很有见识。他可以相当漂亮地将工作开一个头，然后感到厌烦，便草草了事。讲求实效的她肯定会批评他对工作缺乏献身精神，但同时又会分出轻重缓急，将这项工作做完。他超然，不拘小节，她的坦率和不断地挑毛病常常使他真正动怒，她甚至不愿听完他的演说，他是多色调的，精力旺盛的行动者，她是能干的管理型人才，两人都不是太敏感，如果他们认为两人的结合还是有益的话，就不会受对方缺点的过分扰乱。

马+狗

这是能够持久合作的一对。他们都是朝气蓬勃、感情外露的人,他们的结合能够使双方都感到真正的乐趣。狗太太忠诚正直,真挚,能容忍马先生的动摇不定。他的智力和高雅以及有洞察力的个性都给予她深刻的印象。而他爱她的幽默、清醒富于条理,她很现实,对马先生的短处能够理解和接受,他也不会为她那粗率无礼、遵从旧俗的举止生气。

马+猪

他很有说服力、吸引力和号召力,足以说服厚道、随和的猪太太对他的愿望让步。她则心地善良,并且合群,愿意同快活的马丈夫一起做事情。然而,她是个重情义的人,渴望恩爱相处,以自我为中心的马丈夫不太能满足她。另一方面,在她对所有人都过分适应和关心时,他很不悦。双方应接受对方的弱点。

鼠+马

两人都具有独立自主和积极主动精神。但他对她的不安定和前后矛盾性格非常厌倦,而她也因与他的种种口角而十分不快并且神经过敏。他们对于对方的思维方式无法理解,也不能同甘共苦。

牛+马

不太理想。她无忧无虑、无拘无束,他勤勤恳恳、脚踏实地。他想要一个有条有理愉快的家,她却太不安静,忙得不能待在一个地方。她需要自由和娱乐,而他不理解她的变化无常,她也缺乏对他的关注。想使双方协调起来是颇为困难的。

虎+马

谐调和睦的婚配。他们都善于交际,热情欢快而朝气蓬勃。当虎丈夫为事业而奋斗时,实际的马太太会把两人的精力引向更有价值的目标上。虎丈夫会喜爱她的智慧和灵巧,她能驾驭他驶向更实际的目标。他幽默、善于思考、为人亲切;她柔顺、能够容忍他的反复无常。他们的关系是热烈的,都离不开对方的陪伴。

兔+马

在做一件事之前,他们总想把事情想得很难,往往要反复地考虑。他总是受自己的感情和直觉的支配。他们都很实际,都只关心自己,所以不会努力调整相互间的关系。她厌烦他的深思熟虑和神经质,他讨厌她的没有头脑、轻浮、贪图小利。当一个人想休息、想得到片刻安静时,另一个却偏要不停地折腾。这两个人无法相处。

龙+马

马夫人足智多谋,能很好地安排龙丈夫带回家的各种收入。但严格的龙丈夫可能认为她太不安定,也不太关心家庭的稳定。如果他们生活在城市中,生活就会富裕和欢乐得多,因为马太太在理家的同时还可以出去工作,事实上,当双方都享有自由和多变的生活时,他们会表现得更好一些。抱负不凡的龙丈夫会发现他妻子的眼光是非常有见地的。她则喜爱他的强壮和可以依赖。

蛇+马

他们对生活的看法并不相同。蛇是谨慎、顽强、意志坚定的，具有长远的目标。马敢于冒险、活泼易变、性情急躁。她更关心的是眼前的享乐，他却始终如一地奔向自己的目标。她容易冲动、善于应变，但他能持久。他认为她不负责任、不能坚持，而她嫌恶他的严肃、冷静和多思。这不是非常满意的结合。

羊+马

他是家庭型人,很能顾家,给他好动的马太太提供了一个安全后盾。另一方面她很快乐大方,弥补了他的消极心境。他很可能是妒忌、独占的,而她则独立、冲动。她有能力、讨人喜欢、善于领会细微的迹象。这是一种有利的或许是持久的结合。

猴+马

两人都多才多艺、灵活、开朗。他们能否在和善的气氛中共同生活，取决于他们如何控制以自我为中心的个性。他们都是独立的、实际的人，心中愿意合作得很好。并且两人都有同样强的能力和敏捷才思。

鸡+马

似乎不很顺利。两个有主见的人很容易互相激怒。他爱寻衅，不讲方式，还会申斥她的奢侈和不踏实。而她太讲究、太艳丽、太富于情趣，不能安心于他为她安排的简单刻板的生活。他的计划很宏伟，方法又是精确可靠的。反之，她的目标现实可行，但采取的方式却前后不连贯、毫无预见。他不理解她多变的方法，她也不能容忍他斤斤计较的性格。

狗+马

尽管他们之间缺乏全面的理解,但仍不失为一个幸福的、富于生机的家庭。丈夫可敬,有理性,在能干的内当家的协助下,能把工作搞得极为出色。他佩服妻子对知识的渴求,而她也认为丈夫公正、重实际、可以信赖和依靠。双方都能得到他们希求的合作,并能享有各自所需要的独立性。

猪+马

两人都是快乐的追求者。广交朋友的特点在一定程度上对双方都是有益的。妻子富于想象力,足智多谋,而丈夫则可靠且有极好的品质。丈夫赞赏妻子活泼、爽快的性格,妻子则认为丈夫热心、诚实、坚忍不拔、很惹人喜爱。双方都理解互相谦让的价值。他们将会建立一个生机勃勃、互相包容、互相协助的家庭,谁也不会伤害对方。他们将十分满意地度过他们的一生。唯一的弱点是双方都不愿过多考虑未来。

吉祥四季 平安一生

春 夏 秋 冬

【生于春】吉祥方位：西方、西北方
吉祥颜色：白色、灰色、黄色
吉祥饰品：铜锣、金丝眼镜、金表
吉祥密码：酉、申、巳、丑、庚、辛
吉祥行业：从事与"金"相关的行业

【生于夏】吉祥方位：北方、东北方
吉祥颜色：蓝色、黑色、白色
吉祥饰品：孔子铜像、金链、蓝田玉、金笔
吉祥密码：子、丑、申、辰、亥
吉祥行业：从事与"水"相关的行业

【生于秋】吉祥方位：东方、东南方
吉祥颜色：绿色、黑色
吉祥饰品：木鱼、木佛珠、绿宝石、灵芝、竹
板平安、人参王
吉祥密码：甲、乙、寅、卯、亥
吉祥行业：从事与"木"相关的行业

【生于冬】吉祥方位：南方、西南方
吉祥颜色：红色、紫色、黄色
吉祥饰品：红木用品、打火机、太阳画、牡丹
花、玩具猫、骏马图
吉祥密码：午、寅、戌、巳、未
吉祥行业：从事与"火"相关的行业